Gaëtan Cordaro
Françoise Cordaro

Nous, les **enfants** de 1947

De la naissance à l'âge adulte

Éditions Wartberg

Mentions légales

Crédits photographiques :

Archives personnelles des auteurs, p. 4, 6, 8-11, 14, 16, 19-21, 23-24, 26, 30b, 31, 34, 36-37, 40-41, 43, 45-47, 49-50, 52, 54-55, 59-60, 63.

D. R., p. 12, 61.

© www.pognant.net 2010, p. 7.

© *Le Monde*, « La folle nuit de cent cinquante mille copains », 25 juin 1963, « Chronique des années 1960 », p. 56.

© Picture-alliance / dpa, p. 17.

© Ullstein bild, p. 25h, 32, 35, 53 ; Ullstein bild – Rühe, p. 5 ; Ullstein-sinopictures / Fotoe, p. 13 ; Ullstein bild – Keystone, p. 15 ; Ullstein bild – Neudin, p. 22 ; Ullstein bild – Nowosti, p. 27 ; Ullstein bild – Pachot, p. 30h ; Ullstein bild – dpa, p. 42 ; Ullstein bild – Bunk, p. 51 ; Ullstein bild – united archives, p. 57, 63h ; Ullstein bild – Werner Otto, p. 58.

© Roger-Viollet, p. 29, 39, 44, 48 ; Studio Lipnitzki / Roger-Viollet, p. 25b ; Bernard Lipnitzki / Roger-Viollet, p. 62b.

Nous remercions tous les ayants droit pour leur aimable autorisation de reproduction. Dans le cas où l'un d'eux n'aurait pu être joint, une provision de droits est prévue.

Remerciements à Daniel Lesueur.

14e édition, 2015

© Éditions Wartberg

Un département de
Wartberg Verlag GmbH & Co. KG.
Im Wiesental 1
34281 Gudensberg-Gleichen
Allemagne

Tous droits réservés pour tous pays.

Conception graphique : Ravenstein & partenaires, Verden.
Imprimé en Allemagne par Thiele & Schwarz, Kassel.

ISBN : 978-3-8313-2547-4

Chers enfants
de 1947,

Baby-boom ! Nous voilà affublés de ce drôle de qualificatif : nous sommes les enfants du baby-boom. Le bruit des bombardements a pris fin deux ans auparavant. La France, et avec elle l'Europe entière, sont exsangues. Pourtant, la vie se remet doucement à palpiter. Tout autour de nous, dans les rues des villes, au cœur des campagnes, parfois au milieu des décombres qui n'ont pas encore été évacués, nos parents s'éveillent lentement d'un long cauchemar. Nous sommes le témoignage vivant de ce réveil, de ces retrouvailles dans un monde à nouveau capable de regarder l'avenir. Mais toutes les guerres ne sont pas gagnées ; jeunes, nous ne verrons que très progressivement les jours paisibles redevenir la norme. Le temps des privations n'est pas terminé. Nos frères et sœurs aînés disent même que la vie a été plus difficile dans les premières années d'après-guerre que pendant la guerre elle-même. Mais en évoquant ces dix-huit premières années de notre vie, j'espère vous rappeler le fabuleux chemin que nous avons malgré tout parcouru : des tickets de rationnement à notre premier *Salut les copains !*, du pot de chambre à notre première salle de bains, du vieux « tram » grinçant au premier homme dans l'espace... Cela peut parfois ressembler à un passage fulgurant du Moyen Âge au monde moderne.

Au moment d'écrire cet album de souvenirs, j'ai une pensée pour tous ceux qui ont partagé ces dix-huit premières années, famille et amis, mais aussi ceux que je n'ai pas connus et qui, je l'espère, se reconnaîtront ici et là au fil du récit. Je pense aussi à nos enfants et petits-enfants, qui découvriront un peu de cette époque difficile qui signait les prémices des « Trente Glorieuses ».

Gaëtan Cordaro

Françoise Cordaro

Le baby-boom, c'est nous

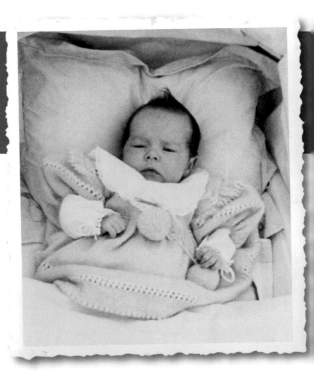

Beau spécimen de baby-boomer.

« Maman est partie acheter un petit frère »

Quelle étrange affaire !
Les bébés sont donc fabriqués quelque part, dans un lieu mystérieux, certainement bien loin de chez nous étant donnée la longue absence de nos mamans. Notre père nous explique que les bébés sont livrés à l'hôpital, mais qu'il faut du temps pour s'y rendre et faire son choix. Voilà l'histoire des naissances vite bâclée pour les oreilles innocentes. La réalité est tout autre, et

Chronologie

Février 1947
La doctrine Truman voit le jour. Elle déterminera toute la politique menée par les États-Unis dans les années suivantes, axée sur la lutte contre le communisme.

24 mars 1947
Lord Mountbatten est nommé vice-roi et gouverneur général des Indes, avec pour mission de préparer l'indépendance du pays. Celle-ci est déclarée cinq mois plus tard, le 15 août 1947.

5 juin 1947
Aux États-Unis, présentation du plan Marshall, qui a pour visée de reconstruire l'Europe. Accepté par seize pays, il sera refusé par l'Union soviétique et utilisé pour faire bloc contre le communisme.

30 janvier 1948
Gandhi, leader non violent et personnage central dans la construction d'une Inde indépendante, est assassiné à Delhi par des extrémistes hindous l'accusant d'être responsable de la partition.

15 mai 1948
David Ben Gourion, chef de file du mouvement sioniste, annonce officiellement la création de l'État d'Israël.

7 octobre 1948
Le constructeur automobile Citroën présente la 2CV, un modèle créé pour la population rurale et à faibles revenus.

10 décembre 1948
La Déclaration des droits de l'homme est adoptée par les cinquante-huit États membres de l'assemblée générale des Nations unies.

Mars 1949
La firme RCA Victor commercialise les premiers 45 tours, disques conçus pour le marché des juke-boxes.

2 mars 1949
La suppression des tickets de rationnement marque la fin de neuf années de restrictions pour les Français.

9 avril 1949
Le vaccin antituberculeux BCG est rendu obligatoire par un texte de loi voté sans débat au Sénat.

Lord Mountbatten, vice-roi de l'Empire des Indes, en compagnie du Mahatma Gandhi, quelques mois avant l'indépendance du pays.

ce fameux baby-boom a donné bien du fil à retordre aux hôpitaux. Après toutes ces années où il a fallu soigner les grands blessés de guerre dans des conditions difficiles, il faut à présent faire de la place pour ces jeunes mamans et leurs bébés. De nombreux berceaux sont alignés dans d'immenses pouponnières, tandis que les mères se partagent de vastes chambres. Pour celles qui habitent loin des villes, il faut faire appel à une sage-femme à domicile lorsque cela est possible. N'oublions pas qu'en 1947, la bicyclette reste le seul moyen de transport pour beaucoup de gens.

Mais chez nous, Dieu merci, maman est « partie acheter un petit frère » à l'hôpital. Me voici donc débarquant dans notre petite cuisine, auprès de mon grand frère et de ma grande sœur, ébahis et tout excités.

 De 0 à 2 ans

Bébé dans sa
« boîte à savon ».

Mais où allons-nous le caser, ce petit frère ? Nous n'avons que deux pièces ! Qu'importe, le landau servira de berceau, et pourra se déplacer d'un coin à l'autre de la maison. On s'arrange comme on peut : selon les heures de la journée, la cuisine fait office de salle de bains (le matin, pour la toilette au gant debout devant l'évier), de salle de séjour (le soir, pour écouter la radio), et de chambre à coucher (la nuit, pour un des enfants qui y dort dans une alcôve). Certes, nous sommes un peu à l'étroit, mais nous sommes tranquilles.

Le bruit des bombes a cessé ; les aînés, souvent dispersés et mis à l'abri durant l'Occupation, ont regagné le cocon familial.

Nos pères s'étaient « absentés » eux aussi, soit pour combattre, soit pour contribuer à l'effort de guerre allemand, enrôlés dans le service du travail obligatoire (STO). Entre 1942 et 1944, près de 650 000 hommes avaient travaillé dans les usines et les mines de l'autre côté de la frontière. En naissant en 1947, nous signons la paix retrouvée, la famille réunie et le retour à une vie presque normale partout en France.

Le taux de mortalité des enfants en bas âge est encore élevé en Europe.

— III —
ENFANTS

Nom : *Corçara* N° de l'acte : *5256*
prénoms : *michel Joseph*
né le *5 décembre 1931* décédé le *9 janvier 1933*
à *Lyon 2e* à *Lyon (4e) N° au : 37*

Timbre de la mairie   Timbre de la mairie

VACCINATION

Signature

1° A _____
le _____

Signature

2° A _____
le _____

6

À la fin des années quarante, on aime les beaux cheveux bien coiffés et la mode est aux boucles. Qu'on crante les cheveux ou qu'on les frise au fer, les séances de coiffure sont interminables, surtout pour les filles aux cheveux raides. Et à l'approche du dimanche, d'une cérémonie ou d'une séance chez le photographe, les visites chez le coiffeur peuvent s'avérer de véritables séances de torture. Même les bébés y passent : ceux qui ont suffisamment de cheveux sont gominés et portent un joli toupet bien relevé sur le devant du crâne, à l'image du bébé Guigoz.

Le temps des restrictions n'est pas terminé

Pourtant, on manque encore de tout et les tickets de rationnement sont toujours en vigueur. Nos parents ont dans leur portefeuille des dizaines de cartes et de tickets de couleur, qui correspondent aux différents besoins hebdomadaires ou mensuels de la famille. Les cartes marquées d'un « E » donnent le droit d'obtenir, pour un bébé âgé de moins de trois ans, une certaine quantité de lait, de bouillie, de céréales… Entre trois et douze ans, les tickets « J1 » et « J2 » déterminent les rations journalières des plus grands. À cela s'ajoutent ensuite des tickets correspondant à chaque catégorie d'aliments : le vin, réservé aux travailleurs de force et âgés de quatorze à soixante-dix ans (catégorie « T »), les matières grasses (le plus souvent de la margarine), le tabac, le pain, le fromage… D'autres cartes viennent s'ajouter à la longue liste des tickets alimentaires, concernant les textiles, les vêtements de travail, les transports, les produits détersifs, le charbon… Parfois, des tickets supplémentaires viennent améliorer le quotidien, et nous pouvons alors acheter un peu plus de sucre ou une nouvelle paire de chaussures pour la rentrée des classes d'une grande sœur ou d'un grand frère.

Encore rationnés, nous ne sommes pas tout à fait sortis de la guerre.

De 0 à 2 ans

La famille-type d'après-guerre.

À l'époque, mes parents tiennent une petite épicerie de quartier. Nous sommes aux premières loges pour assister chaque jour au long défilé des clients. Les commerçants connaissent de très longues journées de travail, car une fois amassés tous les tickets de la journée, il faut les coller sur les cageots d'emballage qui sont renvoyés chez le fournisseur. Après l'école, mes frères et sœurs aident à trier et coller les tickets, parfois jusque tard dans la soirée.

Certaines occasions nous font particulièrement ressentir la difficulté des restrictions. C'est le cas lorsque, en plein hiver, il faut se rationner en combustible de chauffage. Une fois le stock de charbon écoulé dans la vieille cuisinière, qui sert tout aussi bien à cuisiner qu'à chauffer le logement, il faut attendre d'obtenir de nouveaux tickets pour pouvoir faire le plein de la cave à charbon. Ce charbon est donc bien sûr utilisé avec parcimonie, et la nuit, il faut parfois dormir avec un manteau, qu'on place aussi sur mon berceau.

Lors des grands froids, l'intérieur des fenêtres se recouvre de givre. Autant dire que la toilette est vite faite certains matins !

Le rationnement s'arrête en 1949, l'année de nos deux ans. Le portefeuille de nos mamans reprend une taille normale, et il n'y aura désormais plus d'angoisse à l'idée d'avoir perdu le ticket donnant droit à une nouvelle veste de travail ou à un kilo de sucre. C'est la fin de neuf années de restriction, qui marque surtout la fin de « notre » guerre à nous.

Nos parents, ces héros…

En 1947, il n'est pas question de régulation des naissances : la famille nombreuse est à l'ordre du jour. Dans les milieux les plus populaires, beaucoup de femmes doivent elles aussi travailler, que ce soit en tant qu'ouvrières, sténodactylos, aides de ferme ou vendeuses. Le soir, elles s'occupent de leur foyer et de leur famille dans une absence totale de confort. Les langes de bébé, lavés à la main dans une bassine, sont mis à bouillir dans une grande lessiveuse en aluminium, sur la cuisinière à charbon. Comme il n'y a pas de baignoire ni de place pour une grande bassine dans la maison, il faut parfois laver tout le linge dehors, même en hiver, dans une eau glacée. Tout cela est si difficile que les enfants doivent sans cesse faire attention à ne pas se salir : il n'est pas question de changer de vêtements chaque jour.

Pour beaucoup de nos pères, une seconde journée de travail suit la première. J'ai souvent vu mon père bricoler des postes de radio amassés dans la cuisine, tard le soir ou le dimanche, pour gagner quelques francs supplémentaires en dépannant des voisins.

Un faux berceau de conte de fées, loué le temps d'un baptême.

Nos parents sont devenus maîtres dans l'art de la débrouille. On échange une réparation de bicyclettes à l'autre bout de la région contre un kilo de pommes de terre, on dépose quelques livres chez l'épicier du coin qui les loue à ses clients et nous reverse une commission. À cette époque, ma mère fabrique elle-même de gros pains de savon qu'elle met en dépôt-vente un peu partout parmi les commerçants du quartier, y compris dans notre épicerie.

Les enfants aussi doivent se débrouiller : à peine rentrés de l'école, les aînés s'occupent des plus petits, et les grandes sœurs deviennent rapidement des mères de substitution. Parfois, il s'agit aussi de rapporter un peu d'argent. Un des pires souvenirs de mon grand frère concerne l'époque où nos parents glissaient dans son cartable d'écolier quelques boîtes de pâté, à vendre à ses camarades de classe. Même s'il participait volontiers au budget de la famille, il se serait bien épargné cette honte de faire cohabiter ses cahiers avec des boîtes de pâté.

Alors forcément, du haut de nos quelques mois d'existence, les bébés que nous sommes n'ont pas droit à toute l'attention de nos parents. Pourtant, nous ne sommes jamais seuls, toujours au beau milieu des activités de la maisonnée, que ce soit chez nous ou chez une nourrice. Nous n'avons que peu de jouets, ou pas du tout, même si les premiers hochets en celluloïd existent déjà. Et dans cette vie entièrement consacrée à satisfaire les besoins quotidiens, nos premiers exploits passent un peu inaperçus. Qui se souvient vraiment de nos premiers pas ou de nos premières dents ?

La plus belle invention du siècle

Jusqu'en 1932, les ménagères écrasaient leurs légumes à la fourchette. Les purées de pommes de terre n'étaient jamais lisses ni onctueuses, et comportaient toujours de petits morceaux ou des grumeaux impossibles à faire avaler aux bébés. C'est donc un véritable coup de génie que celui de Jean Mantelet, qui invente un système pour broyer les légumes et « passer la soupe ». La moulinette à légumes est née, et avec elle la fameuse marque Moulin-légumes, ancêtre de Moulinex. Dès les années quarante, une gamme d'instruments plus variée est proposée : grand moulin à légumes, petite moulinette pour le persil et le jambon, râpeuse-trancheuse, râpe à fromage... Ces inventions vont non seulement faciliter le travail des mères, mais aussi révolutionner l'alimentation des bébés et des tout-petits, désormais plus variée et moins carencée en vitamines.

Nous faisons nos premiers pas cramponnés à la poussette.

Nos douces soirées d'été

Dans ce contexte d'après-guerre, il est hors de question pour nos familles de s'octroyer de vrais moments de repos, voire des vacances. On passe le dimanche à bricoler, ou à faire la lessive de la semaine, que l'on étend sur l'herbe ou sur des fils tendus à travers les cours pavées des immeubles.

Pourtant, rien ne nous fait davantage plaisir que ces soirées d'été qui ressemblent à de vraies vacances. Tout le monde sort les chaises, les tables, sur le trottoir, devant les maisons, pour profiter des soirées qui s'allongent. C'est l'heure bénie de ce que nous attendons tous avec impatience : la soupe au lait, que nous mangeons froide et sucrée, avec de gros bouts de pain trempés, et les grands verres de café froid mélangé à du sucre et à de la glace pilée. Parfois, les grands chantent jusqu'à la nuit tombée, en accompagnant les airs diffusés à la radio ou mieux, en faisant tourner l'un de ces vieux disques en carton perforé sur une « organette ». Ces machines à musique fonctionnaient sur le même principe qu'un orgue de Barbarie, avec une manivelle et un soufflet, mais la mécanique était beaucoup plus simple et surtout moins encombrante, le tout faisant la taille d'un gramophone. On pouvait la transporter partout.

 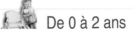

C'est le temps aussi où les grands vont danser. Le dimanche, les « trams » de banlieue les emmènent dans des bals populaires, des guinguettes, mais il n'est pas rare que ceux-ci s'improvisent dans un café de quartier ou sur le coin d'une place. Et les enfants en profitent pour courir partout entre les danseurs.

Blédine, Guigoz... et huile de foie de morue !

Finalement, les bébés que nous sommes sont encore les mieux lotis, car s'il y a une chose qui ne manque pas, c'est bien le lait maternisé ou le lait Guigoz, dont les boîtes arborent un gros bébé rose aux cheveux blonds, et la fameuse Blédine Jacquemaire à cuire. Nous devons avoir l'estomac sacrément résistant, car dès les premiers mois, nous consommons du lait de vache cru coupé avec de l'eau, et épaissi par cette délicieuse bouillie au cacao. Tellement bonne que toute la famille en mange parfois le soir lorsqu'il n'y a pas grand-chose d'autre à

Blédine, la « seconde maman », cette délicieuse bouillie qui faisait de beaux bébés joufflus.

se mettre sous la dent. Quand notre mère dépose sur la table la fameuse « soupe chocolat », c'est jour de fête. La Blédine a aussi cet avantage de pouvoir être plus ou moins épaissie, en fonction de notre appétit mais aussi du contenu du garde-manger.

Quand nos parents ont la chance de disposer d'un petit espace à l'extérieur de la maison, ils y installent un potager de fortune ou un poulailler. Une poule ou deux fournissent au moins quelques œufs par semaine, et nos grands frères et sœurs ont parfois le droit d'aller chercher un œuf pour le gober sur-le-champ – un délice. Leur goûter peut être composé d'une tartine de margarine frottée d'un peu d'ail, et quand il n'y a ni ail ni margarine, d'une tranche de pain accompagnée d'un oignon cru. Moi, Dieu merci, j'en suis encore à siroter mon biberon de lait, et une fois assis et sanglé sur une pile de coussins et de vieux journaux pour être à la hauteur de la table familiale, le cou serré dans un grand bavoir, j'ai droit à une assiette de bouillie bien sucrée.

Et comme mes dents commencent à pousser, je vais enfin pouvoir, moi aussi, goûter à de tout petits morceaux de jambon blanc, un des premiers « produits de luxe » que nous pouvons nous permettre. Il n'y a pas de mixer à la maison, mais nous possédons déjà un instrument de la célèbre marque Moulin-légumes. Il s'agit d'une petite moulinette qui sert à broyer le persil, mais peut aussi transformer le jambon en minuscules flocons roses, faciles à avaler avec une purée de pommes de terre.

Pour pallier une alimentation plutôt carencée en vitamines, il faut passer par la terrible épreuve de l'huile de foie de morue. La mienne m'est administrée dans mon biberon à grand renfort de sucre et de Blédine, mais la séance réservée aux grands est bien moins agréable.

L'« âge d'or » du communisme

À la fin des années quarante, les théories marxistes connaissent de plus en plus de succès au sein des populations ouvrières. Dans l'immédiat après-guerre, la grande fragilité politique et sociale de nombreux États ne profite pas qu'aux États-Unis, qui installent leur puissance avec le plan Marshall. En effet l'Union soviétique monte en puissance, et le fossé se creuse entre Est et Ouest. En 1949, c'est au tour de la République populaire de Chine, proclamée par Mao Zedong, de brandir son drapeau rouge, tandis qu'en France, le parti communiste a le vent en poupe avec plus de 800 000 adhérents en 1947. De quoi faire trembler le Vatican, qui décrète l'excommunication majeure de tous les catholiques « qui font profession de la doctrine matérialiste et antichrétienne des communistes ».

Mao Zedong proclame la République populaire de Chine, le 1er octobre 1949.

De 0 à 2 ans

Notre monde s'agrandit

La première d'une longue série de photos scolaires.

Hygiène, maladies et quarantaine

Si par chance nous n'avons pas attrapé de maladie infantile avant nos trois ans, peu d'entre nous y échappent avant d'avoir atteint l'âge de dix ans. En 1950, encore 20 % des enfants meurent avant d'avoir cinq ans, principalement à

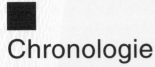

Chronologie

28 février 1950
Sortie de *Caroline chérie* au cinéma, où la belle Martine Carol s'affirme comme l'archétype de la blonde libertine et naïve qui fait fureur dans les années cinquante.

3 juin 1950
Maurice Herzog et Louis Lachenal réussissent l'ascension de l'Annapurna sans oxygène, au Népal, un sommet de plus de 8 000 mètres.

25 juin 1950
Les troupes nord-coréennes franchissent le 38e parallèle : c'est le début de la guerre de Corée, qui prendra fin en 1953.

5 avril 1951
En pleine guerre froide, au cours de la « chasse aux sorcières » anticommuniste, Ethel et Julius Rosenberg sont condamnés à la peine capitale pour espionnage au profit de l'URSS.

9 juillet 1951
Les États-Unis, le Royaume-Uni et la France mettent fin à l'état de guerre avec l'Allemagne.

5 août 1952
Avec l'assassinat d'une famille de vacanciers anglais dans les Alpes de Haute-Provence, débute l'« affaire Dominici », qui ne sera jamais élucidée.

14 octobre 1952
La première Cité radieuse, imaginée par Le Corbusier, est inaugurée à Marseille. Elle ouvre l'ère des grandes constructions « verticales » et des futures cités.

12 janvier 1953
Jacques Brel fait ses débuts sur la scène du cabaret parisien Les Trois Baudets et enregistre son premier 78 tours.

14 mai 1953
Jean-Jacques Servan-Schreiber et Françoise Giroud lancent le premier numéro de *L'Express*, comme supplément hebdomadaire du journal *Les Échos*.

2 juin 1953
Élisabeth II devient reine d'Angleterre à la mort de Georges VI. Son couronnement fait l'objet de la première retransmission en direct dans l'histoire de la télévision.

1953, Élizabeth II devient reine d'Angleterre

cause de ces pathologies. Ainsi mon frère aîné est-il décédé de ce que l'on appelait une « rougeole rentrée ». Cette maladie a fait trembler les familles durant des décennies, à juste titre d'ailleurs, car les enfants atteints de cette forme atténuée de la rougeole, sans éruption de rougeurs, n'étaient pas soignés : pensant qu'il s'agissait d'un simple rhume, les parents n'appelaient même pas le médecin. Médecine et superstition populaire cohabitent encore, et aux prescriptions du médecin, les parents associent souvent leur thérapie bien à eux, histoire de mettre

 De 3 à 5 ans

toutes les chances de leur côté. Ainsi, on pense que si l'on croise un coq en train de chanter, on peut attraper la coqueluche, et qu'il faut faire trois fois le tour du poulailler pour se prémunir de la maladie ; ou encore que la scarlatine se soigne mieux si on séjourne en altitude. C'est d'ailleurs pour cette raison que lorsque j'ai développé, à quatre ans, les symptômes de la maladie, mes parents se sont empressés de me porter jusqu'en haut du clocher de la cathédrale !

La mise en quarantaine est le remède ultime pour éviter les contagions. On ne lésine pas sur les moyens, tant les complications des maladies infantiles peuvent s'avérer dramatiques. Mais même un confinement de plusieurs semaines n'empêche pas toujours la propagation des maladies au sein des fratries.

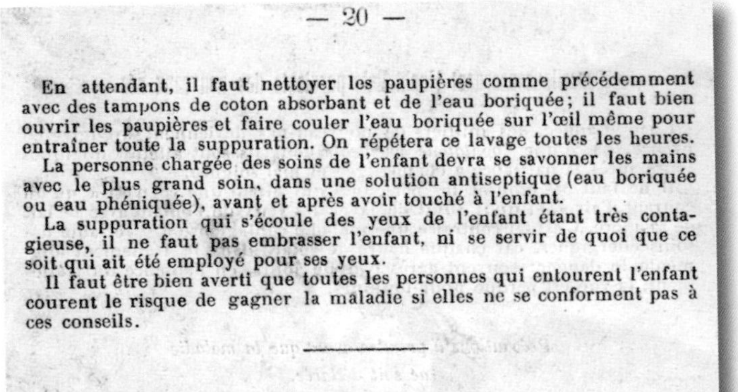

— 20 —

En attendant, il faut nettoyer les paupières comme précédemment avec des tampons de coton absorbant et de l'eau boriquée; il faut bien ouvrir les paupières et faire couler l'eau boriquée sur l'œil même pour entraîner toute la suppuration. On répétera ce lavage toutes les heures.

La personne chargée des soins de l'enfant devra se savonner les mains avec le plus grand soin, dans une solution antiseptique (eau boriquée ou eau phéniquée), avant et après avoir touché à l'enfant.

La suppuration qui s'écoule des yeux de l'enfant étant très contagieuse, il ne faut pas embrasser l'enfant, ni se servir de quoi que ce soit qui ait été employé pour ses yeux.

Il faut être bien averti que toutes les personnes qui entourent l'enfant courent le risque de gagner la maladie si elles ne se conforment pas à ces conseils.

———————

PRÉSERVATION DE LA TUBERCULOSE

La tuberculose pulmonaire est une maladie *évitable* et *guérissable* à ses débuts. Elle a pour cause la pénétration dans notre organisme d'un microbe qui se trouve à profusion dans les crachats des personnes déjà atteintes.

Tant que notre organisme est vigoureux, il résiste; toutes les causes d'affaiblissement, le manque d'air et de lumière, les surmenages, les abus alcooliques, etc., rendent apte à contracter la maladie.

Les poussières souillées de crachats desséchés, soulevées par les balayages à sec, servent de véhicule au microbe. Au lieu de balayer, il est préférable de faire des nettoyages avec un linge humide.

Personne ne doit cracher à terre dans aucune circonstance. On ne le doit pas :

1° Dans son propre intérêt; on contamine sa propre atmosphère, et toutes les maladies qui font cracher nécessitent, pour guérir, que l'on respire un air aussi pur que possible ;

2° Dans l'intérêt des autres, qui peuvent se trouver contaminés.

Tout crachat qui ne se transforme pas en poussière ne présente pas les mêmes dangers. Il faut ne cracher que dans des crachoirs contenant un liquide, de préférence un peu d'Eau de Javel.

Les immeubles où ont vécu des tuberculeux doivent être désinfectés.

EN RÉSUMÉ : Respectons nos forces. Abstenons-nous d'alcool. Veillons à la pureté de notre air. Ne permettons à personne de cracher à terre dans notre entourage.

On peut voir sur nos carnets de santé que la tuberculose sévit encore.

16

Le problème se pose d'autant plus qu'à la fin des années quarante, l'hygiène en est encore à ses balbutiements. On ne se lave pas quotidiennement, et une serviette de toilette, voire deux, suffisent pour toute la famille. Quant à la promiscuité, elle est encore la règle dans la plupart des familles, où il y a plus d'enfants que de chambres – ce qui facilite bien entendu les contagions.

Le jour de la grande toilette, l'eau est mise à chauffer dans la lessiveuse. Une fois bouillante, elle est versée par petites quantités dans une bassine posée à même le sol de la cuisine, et mélangée avec un peu d'eau froide. Nous nous lavons à tour de rôle : une fois notre toilette terminée, nous vidons l'eau sale et remplissons la bassine pour le suivant. La sensation si agréable de l'eau chaude sur la peau fait de ce grand jour un vrai moment de plaisir, surtout lorsqu'il est suivi de l'enfilage de vêtements propres et bien repassés.

En 1950, toujours pas de salle de bains ni de toilettes, le pot de chambre a encore de beaux jours devant lui.

Le syndrôme de l'enfant chétif

Malgré l'huile de foie de morue, beaucoup d'enfants souffrent encore de carences alimentaires et sont diagnostiqués comme « chétifs », un mot populaire qui désigne les enfants atteints de rachitisme. Après la guerre, on envoie régulièrement les petits dans des centres de convalescence, où une alimentation équilibrée et une exposition au grand air et au soleil sont les seuls remèdes utilisés. La prise quotidienne de vitamine D n'interviendra que vingt ans plus tard. Il faut alors endurer une séparation longue de plusieurs mois, assez traumatisante pour les enfants en bas âge, soudain coupés de leur famille.

De 3 à 5 ans

Sons, odeurs et saveurs de l'enfance

Au quotidien, à partir de l'âge de trois ans, nos premiers souvenirs s'imprègnent de tout ce qui se déroule chaque jour, chaque semaine, chaque année. Ce sont des rituels qui s'ancrent dans notre mémoire, des gestes mille fois répétés, et mille fois observés depuis notre petite taille. L'odeur de la mousse à raser de nos papas, le son du blaireau qu'ils tournent dans le petit bol de rasage, le bruit du coupe-choux qui crisse sur la barbe, voilà qui remplit déjà la première heure du matin. Nous avons alors le droit d'« étrenner » leurs joues parfumées et douces avant qu'ils ne quittent la maison pour partir au travail. Viennent ensuite les bruits du petit-déjeuner, celui de la cafetière en aluminium qui chauffe sur la gazinière, le glouglou de l'eau qui monte à travers le filtre, et l'odeur du café au lait servi dans des bols. On y trempe de gros morceaux de pain, que l'on écrase au fond du bol : c'est la bouillie des grands, qu'il nous tarde de pouvoir goûter un jour. Le goût du café, nous le connaissons pourtant déjà, car nous avons droit au « canard » certains jours : nous trempons un morceau de sucre dans le café chaud de nos parents, et nous l'avalons d'un coup avant qu'il ne s'effrite entre nos doigts.

Le jour de la lessive, c'est le branle-bas de combat dans la maison. La veille, mères et filles ont mis à tremper le linge dans de grandes bassines d'eau savonneuse. Elles frottent désormais chaque pièce sur une planche de bois blanc avec une brosse en chiendent. Toute la journée, les effluves chauds provenant de la lessiveuse parfument toute la maison et le quartier.

Moins agréables sont parfois les odeurs provenant du garde-manger. Nous n'avons acheté un réfrigérateur qu'en 1955 ; avant cela, tout est conservé, plus ou moins bien, dans une petite armoire grillagée posée dans un coin de la cuisine. Le beurre devient rance en quelques jours, le lait tourne régulièrement, et il n'est pas rare que quelques petits asticots viennent se régaler de nos morceaux de fromage.

En voiture !

En France, au tout début des années cinquante, il y a encore très peu d'automobiles. C'est donc un immense privilège que de pouvoir se déplacer en voiture à cette époque, et pour moi, en tant que « fils de l'épicier », je fais partie des bienheureux enfants qui peuvent se promener le dimanche sur les routes du département. Depuis la fin de la guerre, mon père utilise une

Les enfants endimanchés prêts pour la promenade en voiture.

Notre carte de transports que le contrôleur tamponnait à la main à chaque trajet.

antique Citroën B2 des années trente pour se rendre au marché chaque matin. Pendant les vacances, il arrive qu'il nous autorise à l'accompagner, à l'aube. Mais le dimanche, toute la famille grimpe à l'arrière de la camionnette bâchée, et ce carrosse nous offre les plus joyeuses virées sur les routes de la région. Il y a toujours une bonne raison de s'évader un peu de la vie quotidienne : une foire, une visite dans la famille, une manifestation populaire…

Les réjouissances du dimanche sont une belle revanche pour tout le monde, car après l'horreur des bombardements, rien ne fait plus

Cie des OMNIBUS et TRAMWAYS de LYON
Fermière du Syndicat du Réseau des T. C. R. L.
CARTE VALABLE
pour plusieurs Trajets Urbains
ou Sections des lignes Suburbaines
Prix : 200 Fr.
Le Directeur Général de la Cie

N° 039127 X

SERVICE PUBLICITÉ O. T. L.

VÊTEMENTS
ELAN
LYON
ANGLE AVue de SAXE-Rue PAUL BERT

 De 3 à 5 ans

Vie sociale, détente et jeux,
le café est un lieu de rendez-vous
apprécié de nos parents.

plaisir à nos parents que de nous emmener voir des lâchers de parachutistes dans une ambiance pacifique et festive. Des buvettes sont installées sur l'herbe, et il faut slalomer entre les bouses de vaches dans nos beaux souliers cirés. Les gens des faubourgs s'y pressent aussi. Si la plupart utilisent les petits trains régionaux pour se déplacer, quelques familles s'entassent dans des Fiat 500, ces minuscules petites boîtes qui ont la particularité de posséder encore un double débrayage.

Les petits trains de notre enfance

Ah ! Ces petits trains de banlieue et ces tramways électriques qui nous emmenaient au bout du monde. Qu'ils étaient jolis et que les paysages traversés étaient pittoresques : prairies et ruisseaux, villages et bosquets… Ils circulaient aussi le dimanche, nous permettant de visiter des foires ou d'aller danser dans les guinguettes.

Si l'avènement de l'automobile les fera progressivement disparaître, ces petits trains nous laisseront bien des souvenirs, comme l'exprime la chanson « Le Petit train » de Marc Fontenoy en 1953 : Le p'tit train / a perdu la bataille / C'est la fin / De ces belles flâneries / Il s'en va / Vers le tas de ferrailles / Tchi tchi fou tchi tchi fou / C'est fini…

La marelle, un bon exercice de motricité pour ceux qui ne vont pas à l'école.

L'école du faubourg

Entre trois et quatre ans, il est temps pour les enfants que nous sommes de prendre le chemin de l'école maternelle. Mais pas pour tout le monde, car si les structures pédagogiques de la maternelle sont déjà bien installées depuis le début du siècle, peu d'enfants la fréquentent, et ce pour différentes raisons. L'école des petits reste encore, dans les esprits, l'école des pauvres : en effet, dans les familles des milieux populaires, les mères qui travaillent « casent » leurs enfants dans la journée. L'école maternelle n'a pas bonne presse dans les milieux où le schéma idéal de la mère au foyer perdure.

   Bien des enfants ne sont donc pas scolarisés, ou seulement de manière épisodique, avant le cours préparatoire. C'est également le cas des enfants des faubourgs. Le faubourg est un univers à lui seul ; ce n'est ni la ville, ni la campagne. C'est un quartier éloigné où de nombreuses familles vivent au rythme des tramways, des petits commerces, dans un huis-clos un peu oublié du monde. Dans l'après-guerre, ces lieux n'ont pas encore été équipés des infrastructures de la ville, sans pour autant posséder l'autonomie des villages. Pour se rendre à l'école, il faudrait une voiture, ou faire de longs trajets en

 De 3 à 5 ans

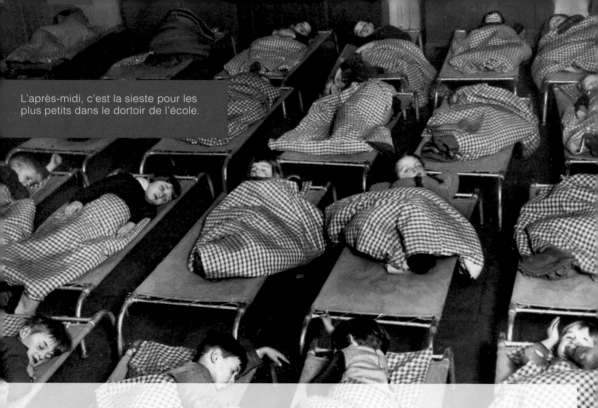

L'après-midi, c'est la sieste pour les plus petits dans le dortoir de l'école.

train ou en car. Soit les mamans ne travaillent pas et préfèrent garder leurs enfants avec elle, soit elles travaillent et n'ont pas le temps de les emmener à l'école. Alors bien souvent, c'est en compagnie des autres enfants du quartier ou de ceux de notre nounou que nous « faisons notre école ». Mes parents travaillant tous les deux dans l'épicerie familiale, je n'ai profité que de la dernière année de maternelle.

Ces Noëls tant attendus

Qu'elles soient riches ou pauvres, urbaines ou rurales, toutes les familles célèbrent, d'une manière ou d'une autre, la fête de Noël. Malgré la difficulté des années d'après-guerre, Noël reste un moment d'exception, un temps marqué – moins pour les cadeaux, plutôt modestes et symboliques, que pour la joie des journées de fête. À l'école, quelques jours avant le 25 décembre, les familles étaient invitées au goûter de Noël, et tous les enfants recevaient une orange. Chez nous, quelle qu'ait été notre situation financière, il y a eu chaque année un sapin de Noël. Nos aînés avaient connu, avant la guerre, la coutume des oranges déposées au pied de l'arbre. L'habitude des petits cadeaux s'est installée peu à peu dans les années plus fastes d'après-guerre : un livre acheté d'occasion pour les plus grands, un nouveau ballon ou un sac de billes pour les plus petits.

Tout juste assez grands pour allumer les vraies bougies du sapin.

En 1951, notre père Noël n'avait pas beaucoup de cadeaux dans sa hotte.

Quoi qu'il en soit, Noël, pour nous, c'est avant tout l'occasion rêvée de monter dans la camionnette et de retrouver les autres membres de la famille. On ne pense plus au travail, les adultes boivent des apéritifs au quinquina – alors très à la mode et dont on voit partout des affiches publicitaires – et les enfants, cousins et cousines, sont laissés à leurs jeux en toute liberté. Les parents s'échangent des gâteaux et toutes sortes de gourmandises. Aux enfants, on distribue alors des « papillotes », ces bonbons en sucre fondant et aux couleurs pastel, enveloppés dans un papier sulfurisé, à l'intérieur duquel est collé un pétard. En tirant dessus d'un seul coup, le bonbon émet une petite explosion, et le goût du bonbon se mêle à l'odeur de la poudre brûlée.

Et puis voici venu le temps où l'on ne peut plus y couper : il nous faut, un beau matin, remplir nos cartables et partir à notre tour dans le monde des grands.

De 3 à 5 ans

Les premières amours n'attendent pas le nombre des années !

Eh bien chantez maintenant !

L'école des loisirs
Au temps des crinolines
Vivait une orpheline
Toujours tendre et câline
Mademoiselle Hortensia...

Nous savions à peine parler et encore moins lire, mais nous apprenions déjà à fredonner nos premières chansons. La radio en diffusait beaucoup, et nous mémorisions très vite les paroles avec nos aînés. Yvette Giraud était notre favorite, car ses chansons étaient faciles à apprendre, et ses airs, émouvants et entraînants : « La belle de Cadix », « Mademoiselle Hortensia », « Marjolaine »... Tous ces airs, nous les retrouvions dans les petits recueils *Chantons tous !* que nos parents achetaient tous les mois au kiosque à journaux, qui comportaient les partitions et les textes des chansons. Lorsque la radio diffusait une des chansons du livret, nous nous collions vite devant le poste et suivions le doigt de notre mère qui glissait le long des portées, en ânonnant les couplets comme nous le pouvions.

Avant l'avènement de la télévision, la musique faisait partie de notre vie quotidienne. Nos parents chantonnaient souvent et nous écoutions la radio tous les jours. Parfois, nous avions droit à un petit théâtre de marionnettes improvisé que nos mamans installaient à grand renfort de draps et de pinces à linge : il nous revenait alors de composer le « chœur » pour accompagner le déroulement de l'histoire.

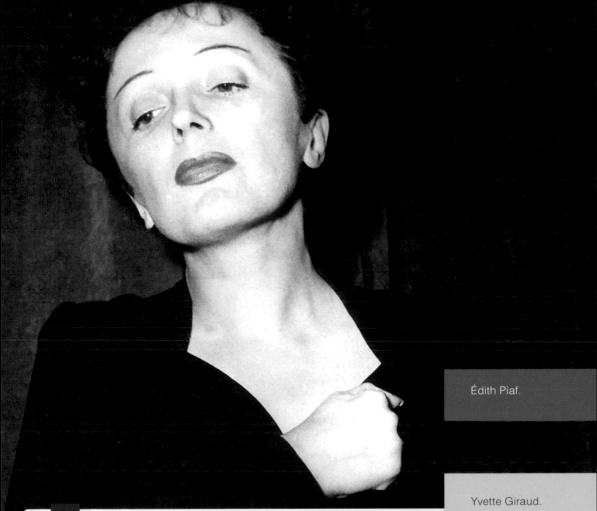

Édith Piaf.

Yvette Giraud.

Stars internationales de la chanson

Alors que la « Môme » Piaf mettra bientôt un terme à sa carrière, Yvette Giraud assure à la fin des années quarante une relève de haut niveau pour propulser la chanson française sur toutes les scènes du monde. Leurs deux voix s'écoulent sur toutes les radios, l'une tremblotante, l'autre chaude et grave. Légères ou tragiques, leurs chansons s'inscrivent pour l'éternité dans les mémoires. Elles sont toutes deux des ambassadrices de charme sur la scène internationale, jusqu'au Japon, aux États-Unis ou en Afrique.

 De 3 à 5 ans

Le temps de la
communauté

Le jour de la photo d'école, la raie sur le côté et les beaux vêtements du dimanche s'imposent.

Trois kilomètres à pied, ça use, ça use…

À six ans, plus moyen d'y couper. Il nous faut définitivement sortir des jupes de nos mères, endosser le costume du petit écolier, et prendre ce long chemin qui nous mène à l'école. Les semaines commencent par un rituel : celui du cirage des chaussures le dimanche soir. Le temps des galoches est terminé, et nous portons désormais des chaussures en cuir qui doivent nous permettre d'aller à l'école par tous les

Chronologie

1er février 1954
Au cours d'un hiver particulièrement froid et meurtrier, l'abbé Pierre lance son « Appel à la bonté ». Plus de 500 millions de francs sont récoltés pour les sans-abri.

7 mai 1954
La bataille de Diên Biên Phu signe la capitulation définitive de la France et met un terme à la guerre d'Indochine, qualifiée de « sale guerre » en France.

10 octobre 1954
Le FLN (Front de libération nationale) est créé en Algérie. La lutte armée pour l'indépendance du pays commence, et avec elle, la guerre d'Algérie.

Octobre 1955
La Citrën DS est présentée au Salon de l'automobile de Paris. Elle est choisie par le général de Gaulle pour être la voiture officielle de l'Élysée.

1er décembre 1955
Aux États-Unis, l'affaire Rosa Parks sera le point de départ d'un long mouvement de lutte contre la ségrégation raciale.

28 mars 1956
Le film *La Fureur de vivre*, qui révèle James Dean, sort sur les écrans parisiens.

19 avril 1956
L'actrice américaine Grace Kelly devient princesse de Monaco en épousant le prince Rainier et quitte définitivement le monde du cinéma.

4 août 1956
Une nouvelle taxe visant à financer les retraites est votée par le Sénat : la vignette automobile. La voiture est encore considérée comme un produit de luxe.

28 février 1957
Gaston Lagaffe, sous le crayon de Franquin, apparaît pour la première fois dans *Le Journal de Spirou*, comme une simple animation au fil des pages du magazine.

4 octobre 1957
Les Soviétiques lancent dans l'espace le premier satellite artificiel de la Terre, *Spoutnik 1*, qui marque le début de la conquête spatiale.

Pendant ce temps-là, au-dessus de nos têtes, se préparait silencieusement la conquête de l'espace.

temps. Toutes les chaussures de la famille, enduites de cirage, sont alignées sur une feuille de papier journal sur la table de la cuisine. Et nous brossons, brossons, jusqu'à ce qu'elles brillent comme un sou neuf.

Il n'est pas rare que les enfants fassent chaque jour plusieurs kilomètres à pied pour se rendre en classe : la cantine s'impose donc à ceux qui ne peuvent pas rentrer chez eux le midi. Le déjeuner constitue bien souvent une heure supplémentaire d'éducation, qui consiste à manger même ce que nous

De 6 à 10 ans

n'aimons pas, à nous tenir droit les deux mains sur la table, à ne pas parler en mangeant, à finir toute notre assiette même lorsque nous n'avons plus faim... tout cela sous l'œil vigilant de la cantinière et de l'instituteur de service.

L'hiver, la route est particulièrement difficile. Nos beaux souliers cirés reviennent maculés de boue, et nos jambes nues souffrent terriblement du froid. Il est impensable de porter des pantalons à notre âge. Les filles portent des jupes qui descendent jusqu'aux genoux, les garçons, des culottes courtes à bretelles. Malgré les grosses chaussettes, nos pieds sont transis, humides, et l'on en vient à regretter la mode des grandes pèlerines qui descendaient jusqu'aux chevilles. Le soir, quand nous rentrons de l'école, ma mère allume le four pour que nous puissions poser nos pieds glacés sur la porte toute chaude. Et nous regardons « fumer » les chaussettes au bout de nos pieds – spectacle qui nous fait beaucoup rire ! Nous avions bien du courage pour des enfants de notre âge, et il y avait à cette époque peu de compassion de la part des adultes.

Heureusement, les premiers jours du printemps changent tout. Le chemin nous paraît soudain moins long, et une fois un peu plus grands, nous n'hésitons pas à traîner un peu en route au retour, surtout lorsque nous rentrons avec des camarades. Nous nous raccompagnons mutuellement devant nos maisons respectives, ce qui nous fait faire de grands détours tout autour du quartier. Mais nos parents avaient la main leste, et les taloches pleuvaient sans merci si nous exagérions notre retard au retour de l'école.

Pupitres, plumes et encre

Et la voilà, notre vieille école de la République, avec ses longs rangs de pupitres en bois, ses bancs, son plancher et ses tableaux noirs. Au cours préparatoire, tout est à notre hauteur, et au fur et à mesure que nous avançons en âge, les pupitres grandissent avec nous. Sur leurs couvercles inclinés, nous voici bien sagement appliqués, en tirant la langue pour recopier nos premières lettres. En tout et pour tout, notre bagage d'écolier se compose de quatre cahiers : cahier du jour, de brouillon, de poésie et de dessin. À chaque fois que nous en terminons un, le maître le remplace par un cahier neuf, qu'il sort d'une grande armoire merveilleuse remplie de toutes sortes de fournitures : des boîtes de craies multicolores, des bouteilles de verre contenant de l'encre violette et munies d'un bouchon verseur recourbé, des boîtes de plumes en acier, des piles de cahiers enveloppées de papier kraft, des

Pas toujours facile
d'apprendre ses
leçons…

livres de lecture… Mais surtout, les bons points, verts ou roses, et les
« témoignages de satisfaction », plus grands que les bons points, qui
récompensaient l'obtention de cinq bons points.

29  De 6 à 10 ans

En 1958, nous inscrivons « NF » sur nos pages de calcul pour désigner les nouveaux francs.

Á l'école de filles.

Dans ces années d'après-guerre, l'accent est mis tout autant sur les comportements de vie que sur l'instruction. Il faut bien donner aux petits sauvages que nous sommes des rudiments d'hygiène et des connaissances de base sur la santé ou le fonctionnement du corps humain. Savoir bien se laver les mains et le corps, connaître les microbes et les maladies contagieuses : ces savoirs sont à cette époque tout aussi importants que la conjugaison et l'algèbre.

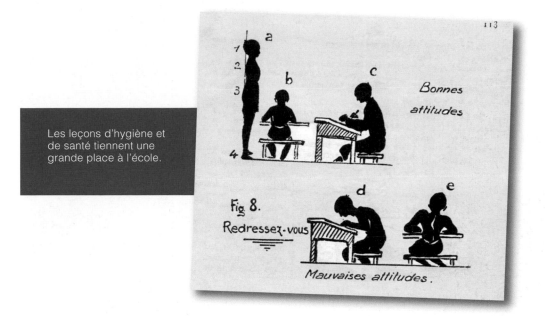

Les leçons d'hygiène et de santé tiennent une grande place à l'école.

Les enfants de l'orphelinat portent tous une blouse grise, alors que nous autres bienheureux, nous possédons des tabliers fantaisie choisis par nos parents. Sans être forcément voulue, cette distinction crée une forme de ségrégation difficile à endurer. Y compris pour moi : à la fin de ma scolarité, mes parents m'ont mis provisoirement en pension « chez les sœurs », dans un établissement réservé en temps normal aux pupilles de la nation. J'ai donc dû, à mon tour, porter cette blouse grise et vivre dans la peau de l'orphelin que je n'étais pas.

Que lisent les familles en 1957 ?

Le célèbre magazine Détective affiche chaque semaine les crimes les plus spectaculaires : jamais de photos, mais des dessins crayonnés pour accentuer les scènes d'horreur. Les grandes sœurs volent Nous Deux, Confidences ou Intimité à leurs mères. Sélection du Reader's Digest distille une fois par mois ses histoires courtes, qui plaisent à toute la famille. Pour les enfants, c'est l'époque de Vaillant, un hebdomadaire grand format sous forme de BD. Il faut bien s'y abonner pour pouvoir suivre tous les feuilletons. 34, un « petit format » (fascicule de bande dessinée au format poche) publié par Vaillant à partir de 1949, nous accompagne avec les héros Akim, Blek ou Tartine.

De 6 à 10 ans

La bataille de Diên Biên Phu marque la fin de la guerre d'Indochine.

Diên Biên Phu, la fin de l'Indochine française

Après la prise de Diên Biên Phu en novembre 1953 grâce à la fameuse opération « Castor », la France, avec plus de 4 000 soldats, compte reprendre le dessus dans la guerre d'Indochine qui dure déjà depuis huit ans. Ce siège s'avèrera pourtant une erreur stratégique, la France ayant sous-estimé la ténacité de l'ennemi et le danger que représente la configuration géographique de ce lieu en forme de cuvette. Elle ne résistera pas plus de trois mois aux assauts incessants du Vietminh. Le combat du « tigre et de l'éléphant » se déroule de mars à mai 1954 et se termine par un désastre, avec de très nombreuses pertes humaines dans les deux camps. Deux mois après cette défaite, et suite aux accords de Genève, la France quitte la partie nord du Vietnam.

Tapette, moulinette…

Bien plus que les heures de cours, c'est la récréation qui nous a laissé les souvenirs les plus impérissables. Au coup de sifflet du directeur annonçant l'intermède, la cour devient pour nous l'espace de toutes les aventures, mais également des guerres les plus impitoyables.

Du côté des filles, la marelle, la corde à sauter et les rondes sont autant de jolies chorégraphies que les garçons ne se seraient jamais autorisées. Elles lancent leur balle contre le mur du préau, et avant que la balle retombe, elles doivent taper dans leurs mains ou tourner une fois sur elles-mêmes en chantant : « Tapet-te, Moulinet-te… ». Il existe aussi un jeu qui porte un très joli nom : le jeu de grâce ! Il est interdit dans la cour de l'école – mal lancés, les anneaux pouvaient retomber sur la tête de quelqu'un ou casser une vitre. Mais les filles y jouent à la sortie, ou le dimanche : avec deux courts bâtons qu'elles tiennent dans leurs mains, elles envoient voler un anneau de bois peint, puis le récupèrent comme un bilboquet sur les deux bâtons réunis. Un jeu plein d'élégance et de douceur.

Chez les garçons, la cour d'école se transforme plutôt en batailles rangées. Le jeu du cavalier, par exemple, n'est pas des plus tendres : en duo, l'un grimpant sur le dos de l'autre qui le maintient bien sous les jambes, nous devons attaquer les rangées adverses en essayant de faire tomber les « cavaliers ». Pour cela il faut attraper les manches des blouses, et avoir une « monture » suffisamment stable sur ses pattes pour ne pas se laisser entraîner. Avec une ficelle, nous guidons notre monture pour la faire tourner d'un côté ou de l'autre. Blouses déchirées et ecchymoses concluent fréquemment ces parties de petits chevaux, mais quelles rigolades elles nous offrent !

Lorsqu'il pleut et que nous sommes obligés de nous abriter sous le préau, il nous arrive aussi de jouer à la balle, mais dans une version différente : le mur nous servant de fronton, nous improvisons une sorte de pelote basque, à mains nues, avec des balles de mousse dures. Nous cognons comme des brutes et le soir, nous rentrons à la maison avec des mains gonflées et cramoisies – au point qu'un jour j'avais été incapable de me déshabiller tout seul, plus aucun de mes doigts ne pouvant se replier.

Doux comme… des enfants de chœur

Les séances de théâtre où nous chantions les chœurs de Guignol sont déjà de l'histoire ancienne. Nous nous retrouvons désormais enrôlés dans un autre genre de spectacle, beaucoup plus sérieux celui-là ! Celui de nos vieux curés en soutane, qui organisent les cours de catéchisme du jeudi et cherchent chaque année de nouvelles recrues pour servir les offices du dimanche. Grandes ombres bienveillantes que ces prêtres qui officient parmi les enfants des faubourgs, portant encore la calotte sur leurs cheveux, leurs longues jupes flottant dans le vent.

De 6 à 10 ans

Gants blancs, écharpes en brassard,
chapelet et missel, nous voici intronisés.

Tous les jeudis, dès le cours préparatoire, la classe religieuse est imposée à tous, pour préparer notre première communion. Elle a lieu dans une salle comparable à celles de l'école, installée dans une arrière-cour de l'église du quartier, dont nous pouvons facilement sortir pour nous rendre à la messe du matin. Car devenir enfant de chœur demande un certain entraînement – tout au moins de connaître parfaitement les différentes séquences de l'office. Mon grand frère ayant déjà été enfant de chœur, j'ai un certain avantage sur les autres, et à mon tour, une fois ma première communion effectuée et mon nouveau missel en main (reçu en cadeau à cette occasion), je peux faire mon entrée en gloire. Même les parents les moins assidus à l'église font l'effort d'assister à cette grande première. Nous avons autant le trac que des acteurs avant d'entrer sur scène, et il y a bien quelques « ratés » de temps en temps. Il faut dire que durant les longs moments d'attente entre chacun de nos gestes, nous avons tendance à nous déconcentrer et à rêver. Nous ne sommes pas toujours prêts lorsque le prêtre a besoin de nous...

Dans les années cinquante, on prend encore l'éducation religieuse très au sérieux. L'école publique a beau être républicaine et laïque, l'atmosphère de discipline et de morale qui y règne reste encore très influencée par l'Église. Au terme de ces trois ans d'enseignement, nous sommes notés sur notre assiduité et notre foi. Puis c'est la grande communion, immortalisée par les photographes : les garçons portent un costume noir et un gros nœud blanc sur le bras, et seules les filles ont droit à de belles toilettes blanches. Non pas des aubes strictes et austères, qui se généraliseront ensuite dans un souci d'équité, mais de véritables robes de princesse avec des jupons bouffants et de magnifiques coiffes.

Les billes, une affaire de la plus haute importance.

La guerre des billes

Le sac de billes est alors l'objet de tous les désirs, des commerces et trafics en tout genre, mais aussi des disputes les plus virulentes, car pour certains, ces billes sont leur seule richesse. Le « Tour de France » désigne un circuit de billes composé de savantes ondulations de graviers, de pierres et de feuilles mortes, qui déclenche les passions dans la cour de l'école. Comme à la pétanque, la technique du « carreau » consiste à éjecter la bille de l'adversaire en la frappant avec une autre bille. Nous possédons tous des billes de terre cuite très bon marché, mais peu d'entre nous ont la chance d'avoir des billes de verre incrustées de couleurs vives. Les plus grosses, les agates, sont de redoutables armes contre nos ennemis. Posséder une agate ou un « feu », c'est comme posséder un trésor, car ces deux stars nous permettent non seulement de gagner d'autres billes, mais elles peuvent aussi servir à acheter un devoir de calcul ou une rédaction.

De 6 à 10 ans

Nos toutes premières vacances au bord de la mer avec cousins et cousines.

Les premières vacances

Avec les années, nos familles commencent à savourer la paix. On oublie peu à peu les restrictions et les difficultés de toutes sortes, et le niveau de vie s'améliore. Ma famille déménage pour s'installer dans une maison plus grande, avec un jardin débordant de hautes herbes, où ma grande sœur, déjà adolescente, va retrouver ses amoureux, et où nous profitons bien mieux de nos jeudis. Mais le premier départ en vacances représente pour chaque famille un cap bien plus important à passer : loin de la maison, il s'agit de s'octroyer enfin un vrai temps de loisirs sans penser au travail. Si certains parents n'ont encore jamais vu la mer, beaucoup d'entre nous auront la chance de pouvoir la découvrir encore petits.

Même pour pique-niquer au soleil, nos papas ne quittaient pas toujours leur cravate.

On ne pourra jamais oublier cette sensation de la première fois : courir sur une plage en maillot de bain, se baigner dans un espace immense, sentir la chaleur du soleil allongés sur une serviette… Et tout cela, en sachant bien que l'on n'aura pas à rentrer à la maison le soir. Nous découvrons aussi nos parents sous un autre jour : ils sont détendus, portent des vêtements légers, les manches de chemise sont retroussées, et bien souvent, pour la première fois, nous voyons nos mères faire la sieste à l'ombre d'un parasol. Le soir, on nous autorise à boire de la Seltines : c'est une poudre qui transforme l'eau du robinet en eau de Vichy, pétillante et légèrement salée, et devient violette dès qu'on y ajoute un peu de vin. C'est notre « vin violet », la boisson de l'été, la boisson du bonheur.

Retour au champ de bataille

Les « remous » d'Algérie se font de plus en plus sentir dans les foyers français. De douze mois, le service militaire passe à dix-huit mois, et même les jeunes gens qui ont déjà accompli leur temps légal sous les drapeaux sont rappelés en avril 1956, avec 2 500 officiers de réserve. Certains sont immédiatement envoyés en Algérie, sans trop savoir pour combien de temps. Les plus chanceux ne reviendront que trois ans plus tard ; d'autres ne reverront pas le sol français. En mai 1956, plus de 40 jeunes appelés sont tués en Algérie au cours d'embuscades. À la fin de cette année, avec la présence de 350 000 soldats français en Algérie, la guerre prend une tournure de plus en plus violente. La très meurtrière bataille d'Alger aura lieu en janvier 1957.

De 6 à 10 ans

Les années d'évasion

Les années en pension

Les raisons pour lesquelles on envoie les enfants en pension sont alors nombreuses : cela n'a rien d'une punition, excepté pour les élèves les plus difficiles. Nos parents pensent que cette structure garantit une meilleure éducation, les enfants étant mieux surveillés et bénéficiant d'une discipline favorable à leur développement. Une autre raison est l'éloignement géographique de l'école, car en dehors des grandes villes, les transports en commun et le ramassage scolaire sont encore peu répandus. Enfin, dans certaines couches sociales, c'est la seule alternative lorsque les deux parents travaillent.

La pension a eu cela de bon qu'elle nous a permis une ouverture sur d'autres mondes que le nôtre. Enfants riches et moins riches, fils de médecin et fils d'ouvrier se retrouvent à vivre en communauté, ce qui n'aurait sans doute guère été possible ailleurs.

Chronologie

15 janvier 1958
Yves Saint Laurent, à la mort de Christian Dior dont il prend la succession, présente sa première collection de haute couture avec sa célèbre ligne Trapèze.

Mai 1958
En Chine populaire, Mao Zedong lance la nouvelle politique économique du Grand Bond en avant, qui aboutira à l'une des plus grandes famines du siècle en Chine.

8 janvier 1959
Charles de Gaulle est élu président de la République française avec 78 % des voix au suffrage indirect.

29 octobre 1959
Le personnage d'Astérix, créé par Albert Uderzo, apparaît pour la première fois dans le magazine *Pilote*. Le premier album contant ses aventures, *Astérix le Gaulois*, sera édité deux ans plus tard.

13 février 1960
La France fait exploser sa première bombe atomique, surnommée « Gerboise bleue », dans le désert du Sahara algérien.

18 avril 1960
Les Beatles font leur première apparition publique en Angleterre. Le même jour, Johnny Hallyday apparaît pour la première fois à la télévision française.

12 avril 1961
Les Soviétiques envoient le premier homme dans l'espace, Youri Gagarine, qui réalise une révolution complète autour de la Terre à bord de la capsule *Vostok 1*.

1er novembre 1961
Grâce à l'action de Martin Luther King et de la NAACP, la ségrégation dans les transports en commun inter-États est supprimée aux États-Unis.

18 mars 1962
Les accords d'Évian proclament le cessez-le-feu et préparent l'indépendance de l'Algérie. Ils seront suivis d'une vague d'attentats meurtriers à l'encontre des harkis et des Français d'Algérie.

5 août 1962
Marilyn Monroe est retrouvée morte à son domicile, à l'âge de trente-six ans. La cause de son décès ne sera jamais élucidée.

Bientôt la rentrée !

Nous partageons de grands dortoirs de trente lits au moins, sous l'autorité d'un surveillant à qui nous menons la vie dure. Le couvre-feu du soir n'est pas souvent respecté car, à douze ans, nous sommes déjà de grands enfants avec beaucoup de choses à nous raconter et à partager. Nous camouflons de petites radios sous nos couvertures, et dans le silence du dortoir, même en mettant le son au minimum et en collant le poste à notre oreille, on a l'impression que tout le monde peut l'entendre. Une des punitions les plus pénibles consiste à rester debout au pied du lit, tandis

De 11 à 14 ans

Quarante élèves par classe…

que tous les autres s'endorment autour de nous. Nous pouvons rester deux heures ainsi, sans bouger, et parfois le surveillant s'endort à son tour en oubliant notre existence. Mais ce que nous redoutons le plus, c'est d'être collés le vendredi soir, ce qui nous oblige à attendre le samedi pour rentrer chez nous.

Nos rêves d'évasion

En 1956, mon grand frère, en âge de faire son service militaire, est envoyé en Algérie. Je ne le reverrai plus avant quatre longues années. Mais il nous envoie régulièrement des cartes postales et, comme pour tous les enfants de mon âge, elles me permettent de découvrir un autre monde. Entre la pension et la maison, l'univers quotidien est plutôt étriqué. Le vaste monde, entre douze et quinze ans, nous commençons à avoir envie de le connaître, et il nous vient les projets les plus fous : traverser la France à vélo, rejoindre nos cousins en Italie en cyclomoteur sitôt que nous aurons l'âge d'enfourcher tout ce qui roule, ou traverser la Méditerranée pour retrouver les grands frères. À cette époque, les « cyclos » Follis sont nos idoles. Nous pensons pouvoir être les rois des routes avec cet engin. Il ne s'agit pourtant de rien d'autre qu'une bicyclette munie d'un léger moteur, mais il ne nous viendrait même pas à l'idée de rêver de la version moto. En attendant, c'est avec nos bicyclettes que nous effectuons nos plus grands exploits, car non seulement nous sommes trop jeunes pour monter sur un « cyclo », mais son prix est beaucoup trop élevé pour nos parents.

Heureusement, les petits boulots ne manquent pas pour gagner notre argent de poche : les filles trouvent quelques heures de ménage, les garçons déchargent les marchandises chez l'épicier… tout est bon pour gagner quelques francs par semaine. Lorsque nous repérons une belle automobile dans la rue, nous guettons l'arrivée de son propriétaire pour lui proposer de nettoyer la carrosserie. Le plein-emploi signifiait aussi, pour nous, cette facilité de vivre au jour le jour, sans se demander si nous aurions assez d'argent de poche la semaine suivante.

À l'âge de notre première motocyclette, nos aînés, eux, roulent en scooter.

Quoi qu'il en soit, cette traversée de la France, nous la ferions coûte que coûte ! Et finalement, je ne voyagerai pas sur un Follis mais sur une Motoconfort, durement gagnée à la sueur de mon front. Un vrai carrosse à mes yeux ! Plus tard, j'ai réussi à couvrir Paris-Lyon sur ce deux-roues inconfortable, en compagnie de mes amis de pensionnat.

De 11 à 14 ans

Charles de Gaulle, le héros du 18 juin 1940, devient le président de la République.

Les années de Gaulle

Figure centrale des événements militaires et politiques depuis 1940, le général de Gaulle devient un personnage emblématique non seulement pour les Français, mais aussi pour le monde entier. Son charisme éclipse le souvenir de ses prédécesseurs, Vincent Auriol et René Coty, dont les mandats furent pourtant marqués par l'Indochine et l'Algérie. Guerre d'Algérie qui permet d'ailleurs au général de mettre un terme à sa longue traversée du désert et de revenir sur le devant de la scène.
Initiateur d'une Europe forte « de l'Atlantique jusqu'à l'Oural », à la fois anticommuniste

et anti-impérialiste face à la puissance anglo-saxonne, père de la vraie réconciliation franco-allemande, Charles de Gaulle est également entré dans la légende grâce à certaines de ses déclarations publiques. Personne n'oubliera son « Je vous ai compris », prononcé à Alger en 1958, ni « le machin », comme il qualifiait l'ONU, ou encore son « Vive le Québec libre » qui fit vaciller les relations franco-américaines durant des mois. Son franc-parler participa beaucoup à son image d'homme politique hors du commun.

Depuis longtemps la gazinière a remplacé la vieille cuisinière à charbon.

Les débuts du confort

Dans les années cinquante, seuls 18 % des logements français sont équipés d'une salle de bains, et 76 % des foyers n'ont pas l'eau courante. Sans parler des réfrigérateurs ou des machines à laver, dont sont dotés seulement 10 % des foyers français. Nous sommes bien en retard sur les Américains en matière de confort.

Souvenez-vous du bruit familier du moulin à café des années quarante... Nous le serrions entre nos cuisses, à nous en faire des bleus, et nous tournions, tournions la manivelle jusqu'à ce qu'elle file soudain entre nos doigts : le café était moulu. Parfois, nous nous pincions la peau des jambes entre la chaise et le moulin, mais c'était la corvée des enfants certains dimanches matin. En 1960, on entend désormais dans toutes les cuisines le son du moulin électrique. En quelques secondes, la poudre est prête, on n'a plus qu'à la verser dans la « chaussette » à café. Finies aussi les vieilles cuisinières à charbon : nous voilà équipés pour la plupart d'une gazinière. Du coup, on regrette un peu l'ambiance de nos vieilles cuisines. La gazinière ne chauffe pas la maison, et on ne peut plus y laisser au chaud le pot de café, ni y poser nos pieds glacés. Enfin, le summum du confort reste le réfrigérateur. Dire qu'aujourd'hui, les designers remettent au goût du jour nos vieux « frigos » massifs...

De 11 à 14 ans

Toutes les publicités de l'époque font fi du pittoresque. Le parfait ménage français est représenté avec son Frigidaire, son aspirateur-balai, et déjà, les marques de savon et de shampooing nous font sentir qu'un gros effort est à faire en matière d'hygiène !

Nous avons oublié les gros pains de savon faits maison…

La science-fiction devient réalité

Bandes dessinées, émissions radiophoniques, romans… tous racontent depuis longtemps déjà des exploits irréalisables se déroulant aux confins de l'espace, remplis de petits hommes verts, de soucoupes volantes et de navettes intersidérales. Mais peu à peu, le rêve devient réalité. La chienne Leïca, puis Youri Gagarine, et la création de la National Aeronautics and Spacial Administration, passionnent le public. Et ce n'est qu'un début. Bientôt, on entendra la voix de John F. Kennedy prononcer le « sésame ouvre-toi » de la conquête spatiale : « We choose to go to the Moon ». Étrange « guerre » d'intimidation que se mènent les États-Unis et l'URSS au-dessus de nos têtes, à coup de fusées et de voyages spaciaux, dans cette course aux étoiles dont nous ne comprenons pas, à notre âge, les desseins ni les motivations.

Voilà le paradis d'un adolescent en 1959 : un poste de radio et un tourne-disques Teppaz.

Accros de la radio !

À défaut de moto et de longues distances, parce qu'il n'y a pas encore de télévision et que le cinéma reste exceptionnel, la radio est toujours pour nous le meilleur moyen de s'évader. À vrai dire, j'ai longtemps considéré la radio Siemens de mes parents, avec sa façade en Skaï, comme la plus belle chose du monde. Nous écoutons bien sûr de la musique. C'est alors la grande vogue des chanteurs hispanisants, Dario Moreno, Gloria Lasso, Luis Mariano, mais déjà, les premiers accents du jazz américain titillent nos oreilles de préadolescents.

Les *crooners* venus d'outre-Atlantique font vibrer nos mères comme nos sœurs. Puis, à Franck Sinatra et Elvis Presley succèdent de nouvelles voix, de nouveaux accents musicaux et des rythmes qui nous enthousiasment, annonçant un phénomène alors sur le point de déferler sur l'Europe et dans nos chambres de collégiens. Les Beatles vont donner un second souffle au rock'n'roll et nous seront les premiers à suivre leur montée en gloire. Dans le même temps, nos « vieilles » amours disparaissent peu à peu des ondes, et c'est encore par la radio que nous apprendrons qu'Édith Piaf s'est effondrée sur scène, à New York, en 1959. Elle mourra quatre ans plus tard.

De 11 à 14 ans

Nos premiers essais sur des skis, qui étaient alors en bois avec des lanières de cuir.

Mais tout ados que nous sommes, nous adorons aussi les feuilletons radio-phoniques, une manière merveilleuse de s'évader chaque jour ou chaque semaine, selon les séries. *Signé Furax*, ce feuilleton créé par Francis Blanche et Pierre Dac, qui oscille entre la science-fiction, le roman populaire et l'humour noir, nous tient enchaînés à notre poste durant des mois. Les péripéties des détectives Black et White, tout comme les méchancetés de Klakmuf, membre de la secte des Babus, ont réussi à créer chez nous une véritable addiction à la radio.

Dans les dortoirs des pensionnats, ou dans les cours de récréation, nous échangeons des pièces pour réaliser nous-mêmes nos petites radios per-sonnelles. Nous parvenons à bricoler des postes à galène à partir de boîtes à savon, en démontant de vieux écouteurs de téléphone et en utilisant des diodes au germanium. Loin de la maison et du poste familial, l'absence de radio nous est insupportable, et nous devenons des experts en bricolage pour être certains de ne pas manquer les épisodes de nos feuilletons favoris.

La télévision oui, mais au compte-gouttes !

Quel changement que la première télévision installée à domicile ! N'exagé-rons rien, elle n'entre chez nous qu'en 1960, et nous ne l'avons pas achetée mais louée. La télévision est un objet de luxe, totalement inaccessible pour la plupart des foyers, mais un ingénieux système de location-vente permet à certains d'en profiter quand même. Il s'agit des premières télévisions à pièces, avec un monnayeur intégré : il faut glisser des pièces de monnaie dans le poste pour pouvoir regarder quelques dizaines de minutes d'émission.

Les sorties entre hommes…

… et les sorties entre filles. Qu'elles étaient élégantes nos « stars » à nous !

47   De 11 à 14 ans

Le sourire de
Catherine Langeais,
l'icône de la RTF.

Chaque mois, un employé passe prélever notre argent et déduit cette somme du prix du téléviseur. Cela nous permet de regarder la télévision « à la carte », selon nos moyens.

Mais nous voici soudain paniqués lorsque, en pleine émission de « 36 chandelles », l'image disparaît. Nous nous précipitons vers nos porte-monnaie pour alimenter le compteur, mais parfois c'est la déconfiture générale : nous n'avons pas de monnaie à la maison, ou mes parents décident que cela suffit pour aujourd'hui. C'est un supplice qui génère à la maison de vraies crises de larmes.

Il commence pourtant à y avoir des émissions très populaires sur la RTF. Le moment que nous attendons tous, c'est l'arrivée de Catherine Langeais pour la « Séquence du spectateur ». Cette émission diffuse chaque semaine les bandes-annonces des films qui sortent au cinéma. À nous qui n'allons pas souvent dans les salles obscures, ces extraits nous font découvrir de vrais moments d'émotion mais aussi de frustration, car ils ne durent qu'une dizaine de minutes. Frustration qui sera certainement le moteur de notre future passion pour le grand écran…

Dès le début des années soixante, Léon Zitrone devient le pendant masculin de Catherine Langeais. C'est finalement lui qui nous accompagnera dans nos « années télé » pendant les vingt années suivantes, et son nom est déjà, pour nous, associé à toutes les grandes cérémonies du monde. Nous avons manqué le couronnement de la reine Élisabeth II, mais nous sommes fidèles au concours Eurovision et à tous les défilés du 14 Juillet retransmis à la télévision.

ACADÉMIE
DE PARIS

RÉPUBLIQUE FRANÇAISE
LIBERTÉ - ÉGALITÉ - FRATERNITÉ

DÉPARTEMENT
DE LA SEINE

CERTIFICAT D'ÉTUDES PRIMAIRES

L'Inspecteur Général de l'Instruction Publique, Directeur Général des Services d'Enseignement de la Seine,

Vu les textes législatifs et réglementaires relatifs à l'examen du Certificat d'Études Primaires ;

Vu le procès-verbal de l'examen subi par M. *Cordaro Gaetan* dans les conditions déterminées par les textes susvisés ;

Vu le Certificat en date du *15 juin* 196*2* par lequel la Commission de (1) *Sceaux* siégeant pour la session de *juin* (2) 196*2* atteste que M *Cordaro Gaetan* né le *9 juin 1947* à *Lyon (3?)* département du *Rhône* a été jugé digne d'obtenir le Certificat d'Études Primaires, et a subi avec succès les épreuves du Brevet Sportif Scolaire de l'Enseignement du 1er Degré.

Délivre à M. *Cordaro Gaetan*

le présent CERTIFICAT D'ÉTUDES PRIMAIRES ÉLÉMENTAIRES.

Signature d titulaire   Paris, le *15 juin* 196*2*.

Pour l'Inspecteur Général de l'Instruction Publique,
Directeur Général des Services d'Enseignement de la Seine,
et par ordre
L'Inspecteur de l'Enseignement Primaire délégué.

Le certificat d'études clôture la scolarité
pour certains d'entre nous.

Il me faut profiter encore de ces heures tranquilles avec ma famille, car une fois mon certificat d'études en poche, il n'y aura plus de télévision, ni autant d'heures libres. C'est le grand passage dans un autre monde, celui de l'apprentissage professionnel.

Les maîtres du mystère

Les feuilletons radiophoniques de Pierre Billard ont tenu toute une génération en haleine entre 1957 et 1965. Mis en scène par des comédiens professionnels, ces polars racontés sur les ondes nous faisaient frémir chaque semaine. Bruitages plus vrais que nature, musique angoissante, suspense insoutenable, tous les ingrédients étaient là pour nous faire frémir. On entendait grincer les portes, le gravier crisser sous les pas, et lorsque les coups de feu retentissaient dans le poste, nous sursautions de concert. Certains soirs l'audience battit des records, avec parfois 12 millions d'auditeurs religieusement à l'écoute.

De 11 à 14 ans

En route pour la gloire !

Enfin l'âge d'aller faire du shopping toutes seules !

Du bleu de travail aux scènes du music-hall

À la sortie du collège, pour moi comme pour beaucoup d'adolescents, le temps de l'insouciance commence à prendre fin. L'entrée en apprentissage fait déjà de nous de jeunes adultes : quelques filles, mais encore bien davan-tage de garçons, se retrouvent soudain plongés dans un univers professionnel, bien loin des cours de récréation des lycées où les autres continuent de mener une vie d'écolier. Les filles qui quittent l'école après le certificat d'études sont nombreuses à s'orienter vers

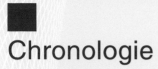

Chronologie

22 janvier 1963
Le traité de l'Élysée, signé par le général de Gaulle et Konrad Adenauer, met fin à la longue hostilité des « ennemis héréditaires ».

28 août 1963
À l'issue de la grande marche vers Washington, Martin Luther King prononce son célèbre discours « I have a dream ».

4 novembre 1963
Les Beatles se produisent devant la famille royale d'Angleterre, la « Beatlemania » étant à son comble, après l'immense succès de *Please, Please Me*.

15 janvier 1964
Les Beatles jouent sur scène pour la première fois en France au cinéma Cyrano de Versailles, avant de se produire à l'Olympia pour vingt concerts.

15 octobre 1964
Le premier numéro de *Mademoiselle Âge tendre*, le pendant féminin de *Salut les copains*, sort en kiosque.

21 novembre 1964
Le nouveau pont Verrazano-Narrows, réalisé par l'urbaniste américain Robert Moses, est inauguré à New York. Il relie Brooklyn à Staten Island.

28 février 1965
Début des bombardements systématiques sur le Nord-Vietnam avec l'opération *Rolling Thunder* menée par les États-Unis.

16 juillet 1965
Le tunnel du Mont-Blanc est inauguré par le président français et le président italien, après six ans de travaux et vingt ans de réflexions autour du projet.

1er mars 1965
Le couturier Courrèges lance la première mini-jupe made in France, au grand dam des couturiers français qui s'insurgent devant cette nouvelle image de la femme libérée.

3 décembre 1965
Les Tribulations d'un Chinois en Chine, de Philippe de Broca, avec Jean-Paul Belmondo dans le rôle principal, sort sur les écrans de cinéma.

Quatre « garçons dans le vent » qui vont radicalement influencer nos goûts musicaux.

les métiers du textile, de la confection et du « commercial », comme on appelait alors les formations du tertiaire. À l'époque l'emploi ne manque pas pour les couturières et les sténodactylos. Les garçons, en bleu de travail devant leurs établis et sous la surveillance des maîtres, perçoivent un avant-goût du monde du travail, où le cambouis a remplacé la poussière de craie.

Quant à moi, je suis doublement sorti de l'enfance à quinze ans, lorsque j'ai commencé une colocation avec un garçon du centre d'apprentissage. Indépendant et très fier de l'être, j'ai eu soudain l'impression d'être maître de ce que je devenais.

Dans cette nouvelle vie, le moindre temps de loisir prend une couleur sublime, et plus que jamais nous nous abreuvons de tout ce qui s'écoule de nos radios. Nous devenons de sacrés

De 15 à 18 ans

La piscine, un endroit où l'on peut commencer à rouler les mécaniques et rencontrer les filles.

Vivre d'amour et d'eau fraîche, oui, mais pas sans musique !

experts, autant en ce qui concerne la variété française que les paillettes des scènes américaines. Nous parvenons même à gratter quelques cordes de guitare et à constituer des groupes amateurs. Dès la fin des cours, nous nous retrouvons au café, où le juke-box nous déleste de toute notre monnaie. À croire que le 45 tours a été inventé pour nous : c'est notre eldorado, notre

Après Luis Mariano, Ray Charles devint vite une de nos idoles préférées.

bol d'oxygène, en tout cas le meilleur moment de la journée. Les garçons sont tous amoureux de Sylvie Vartan, les filles se pâment en écoutant les Beatles. Au café, chaque table est équipée de son juke-box individuel : autant dire qu'une belle cacophonie envahit l'espace à l'heure de la sortie des cours.

Très tôt, nous avons nos idoles, dont nous découpons les photos dans les magazines, et dont nous apprenons les chansons par cœur. Pour moi, Ray Charles a été le dieu de cette époque. Je lui avais consacré un classeur entier, dans lequel je regroupais photos, interviews, pochettes de 45 tours, paroles de chansons... Il sera aussi le premier musicien que j'irai écouter en concert, lors de son passage au Palais des sports de Paris en 1960.

De 15 à 18 ans

Sous nos tentes et entre les lits de camp :
que la fête commence !

Ah les filles, ah les filles !

Entre un collège non mixte et une entrée en apprentissage où seuls les garçons trouvent une place, autant dire que nos conversations s'orientent très
vite sur le sexe opposé. Dans nos chambres, au café, nous en parlons tout
le temps. Mais pour les rencontrer, rien ne vaut nos séjours en camps de
vacances au bord de la mer.

Ils ne sont pas mixtes, mais nous y avons suffisamment de liberté pour
vivre nos premiers émois amoureux. Chaque matin, nos moniteurs nous font
courir à l'eau avant même le petit-déjeuner, et ce, quel que soit le temps.
Promenades encadrées, visites touristiques, et quelques excursions en
bateau rythment l'emploi du temps. Mais il nous reste beaucoup de temps
libre, et c'est exactement ce qu'il nous faut : par petites bandes, nous écumons
les rochers à la recherche des huîtres que nous mangeons sur place, ou
nous organisons des concours de vitesse ou d'apnée dans les vagues de
l'Atlantique. Mais l'heure la plus attendue, c'est celle juste avant le dîner :
l'heure où « on va chercher les filles ». Mais aussi l'heure où les filles

Souvenons-nous de nos premiers flirts...

« attendent les garçons ». Entre le camp des garçons et celui des filles installé à quelques centaines de mètres, il y a toujours un point de rendez-vous à ne pas manquer. Nous disposons d'une heure de part et d'autre pour échanger nos barres de chocolat, écouter nos chansons préférées sur nos radios portatives, et flirter un tout petit peu. Il faut l'avouer : nos discussions ne volent pas très haut. Mais dès lors que nous pouvons faire écouter Otis Redding à nos amies, nous sommes sûrs de notre coup. À nos yeux, aucune fille ne peut résister à la voix de ce chanteur, qui est notre meilleur allié pour jouer dans la « cour des grands ».

Le reste de l'année, tous les lieux de baignade de la région constituent pour nous autant d'endroits stratégiques favorisant les rencontres entre garçons et filles : lacs où les bateaux à pédales autorisent des promenades romantiques, ou piscine ouverte toute l'année. Moins chère que le cinéma, elle nous permet de passer des samedis après-midi entiers avec nos amies et petites amies.

La folle nuit des copains.

Les années Salut les copains

À partir de 1959, « *Salut les copains* », grâce au génie de Daniel Filipacchi, réunit sur Europe n° 1, chaque soir, le meilleur de la musique du moment. Le magazine du même nom complète le tableau en 1962. Son premier numéro, avec Johnny en couverture, connaît un succès foudroyant : un million d'exemplaires vendus dès la première semaine ! La grand-messe est dite le 22 juin 1963 lorsque, pour célébrer le premier anniversaire du magazine, la nuit « *Salut les copains* » est organisée place de la Nation à Paris. Un concert gratuit y réunit de nombreux artistes de l'émission et attire 200 000 jeunes – il se terminera avec quelques vitrines cassées et l'intervention de la police. La « folle nuit de la Nation » fera dire au général de Gaulle : « Ces jeunes ont de l'énergie à revendre, qu'on leur fasse construire des routes ! » C'est cepen-dant au sociologue Edgar Morin que l'on doit l'expression « le temps des yéyés », qui sera définitivement adoptée après cette soirée. Ce soir unique met au jour un conflit de générations et voit les jeunes affronter directement la police, préfigurant peut-être Mai 68.

« Singing in the Rain », l'un des plus gros succès de notre jeunesse.

Qu'ils étaient chouettes nos dimanches !

J'ai eu cette chance, inouïe à notre époque, de voir mon père passer du métier d'épicier à celui de projectionniste, et d'avoir un grand frère féru de cinéma. J'ai pu ainsi voir les plus grands chefs-d'œuvre des années cinquante et soixante, directement depuis la cabine de projection. Je me souviens très bien de ces énormes bobines qu'il fallait enrouler après chaque séance. Quel adolescent n'était pas totalement passionné par ce qui se déroulait au cinéma ?

La mini-jupe est définitivement entrée dans les mœurs.

Les comédies musicales américaines font toujours l'unanimité et n'ont pas pris une ride au début des années soixante. Cid Charisse, Fred Astaire et Gene Kelly nous ouvrent un monde enchanté fait de charme et de grâce, tout en nous faisant miroiter le grand rêve américain. Pourtant l'« eau de rose » n'est déjà plus de mise. *Lawrence d'Arabie*, *L'homme de Rio* et *James Bond 007 contre Dr No* nous attirent tout autant dans les salles obscures que les anciens péplums qui tournent encore dans de nombreuses salles bien après leur sortie sur les écrans français. *Ben Hur*, *Les Dix Commandements*, *Hercule*… Comment se lasser de ces héros qui ont enchanté nos lectures durant toute notre jeunesse ?

Quand nous n'allons pas au cinéma, nous atterrissons souvent dans des clubs pour y danser le rock. Mais à vrai dire, nous attendons tous le moment des slows pour inviter les filles à danser : c'est pour nous le summum du romantisme.

L'école des apprentis

Les centres d'apprentissage ont été créés en 1946, pour accueillir les jeunes titulaires du certificat d'études et leur dispenser un enseignement professionnel. À terme, on souhaite en faire des ouvriers et des employés qualifiés, dont la France des « Trente Glorieuses » a grand besoin. À l'issue de trois ans de formation, ces élèves obtiennent le certificat d'aptitude professionnelle. Les centres d'apprentissage vont peu à peu évoluer en fonction de l'émergence de nouveaux métiers et de l'arrivée massive des filles. Ils prendront ensuite le nom de collèges d'enseignement technique (CET).

Le costume porté avec un col roulé, c'était du dernier chic.

Miroir, mon beau miroir, dis-nous que nous sommes les plus beaux !

Autant pour les filles que pour les garçons, les après-midi shopping sont une occupation à part entière. La mode est une chose à prendre très au sérieux, et le moindre projet de sortie est prétexte à acheter un nouveau

pantalon ou une nouvelle jupe. Ces jupes qui raccourcissent d'ailleurs d'années en années, entre autres parce que Sheila, avec ses petits kilts écossais et ses grandes chaussettes, fait des émules parmi nos amies. Quant aux coiffures, les « montgolfières » remontées sur le haut de la tête ne sont pas de mise chez les toutes jeunes filles, qui préfèrent avoir une frange à la Françoise Hardy. Dans cette course à la mode, les garçons n'ont rien à envier aux filles. Quand on ne sait pas quoi faire après nos cours, il arrive à l'un de nous de proposer : « On va s'acheter des fringues ? » Et nous voilà partis faire les grands magasins pour dénicher un pantalon « tube » ou une veste bien cintrée avec un grand col pointu. Nous sommes toujours à la recherche de quelques marques bien précises. À l'époque, Lacoste est déjà pour nous un idéal inaccessible, et seuls les plus fortunés de nos amis peuvent se permettre d'arborer le célèbre crocodile. Ma mère était très douée pour me coudre de faux crocodiles sur mes vieilles chemises – on trichait comme on pouvait.

Vous souvenez-vous des fameuses Springcourt ? C'étaient les premières tennis en toile, qui ont servi aux sportifs avant de devenir un article de mode. John Lennon en portait, ainsi que Serge Gainsbourg, raison suffisante pour en porter nous aussi. Les premières Clarks en daim ont également fait leur apparition dans les années soixante.

Devant nos miroirs, au moment de sortir en boîte de nuit ou au café, nous inspectons notre allure sous toutes les coutures. Le peigne écrase les boucles et les épis, la poudre efface les petits boutons, nous voici les rois de la soirée qui s'annonce.

Les dimanches en famille sont encore d'actualité.

Un premier appareil photo Reflex, et bientôt les premières photos couleur.

Nous n'aurons pas tous dix-huit ans de la même manière

Entre seize et dix-huit ans, les chemins se séparent pour beaucoup d'entre nous. Il reste encore à certains deux années avant le baccalauréat, pendant lesquelles ils demeureront des élèves. Ils seront le creuset des futures révoltes étudiantes, et des événements de Mai 68. Pour mes compagnons d'apprentissage et moi, c'est déjà le monde du travail, pour certains depuis l'âge de seize ans. Alors forcément, nous n'avons pas les mêmes préoccupations, ni le même emploi du temps, ni les mêmes finances. Les rêves ne se réaliseront pas en même temps ni de la même manière pour tous.

Pendant que les lycéens « bachotent », nous, avec nos premiers salaires en poche, nous n'avons qu'une idée : passer notre permis de conduire et acheter notre première automobile. Le temps des copains est loin d'être terminé,

Jeux olympiques de 1964 à Tokyo.

L'Ange blanc.

Nos héros

Qui réussira à enlever le masque de l'Ange blanc ? Le Bourreau de Béthunes ? Impossible de manquer un combat de catch, surtout s'il est commenté par Roger Couderc. Nous attendions dans le plus grand suspense le moment où le visage de l'Ange blanc serait enfin révélé. Seul Michel Jazy, médaille d'argent sur 1 500 mètres aux JO de Rome en 1960, ou le regretté Angelo Coppi, dit Fausto, coureur cycliste mort la même année, étaient à la hauteur de nos héros catcheurs.

et il nous reste bien des kilomètres à parcourir avec eux. Inutile de penser à acheter une voiture moderne, bien trop chère pour nous. Et nous avons tellement admiré les superbes berlines dans les films américains que nous sommes prêts à tout pour posséder une telle merveille. Ma première voiture fait sensation lorsque je la présente à ma famille et mes amis : c'est une ancienne Salmson d'avant-guerre, un énorme monstre de la route. Il lui a fallu des mois de remise en état, et nous sommes partis, avec plusieurs amis, vers le Midi de la France. Nous avions pris la précaution d'emporter avec nous toutes les pièces de rechange nécessaires.

Une première voiture ardemment espérée…

Nous pouvons désormais regarder l'avenir avec toute la fougue de notre jeunesse. Un avenir qui ne va pas manquer d'être palpitant : des hommes vont marcher sur la Lune et ce ne sera pas de la science-fiction, nous participerons bientôt à la grande révolution de Mai 68, et tant de choses nous attendent encore ! Nous sommes grands, nous sommes prêts…

Souvenez-vous de vos **premières années...**

Nous, les **enfants** de...

76 titres, **de 1923 à 1998**, sont **déjà disponibles !**

Grandir à... / **Notre** enfance

Retrouvez la région ou **la ville** qui vous a vu grandir.

Hier et aujourd'hui

Laissez-vous entraîner dans le **passé...**

De nombreux autres titres sont en préparation. Pour plus d'informations, retrouvez-nous sur notre site : **www.editions-wartberg.com**

Éditions Wartberg | Un département de Wartberg Verlag GmbH & Co. KG.
Im Wiesental 1
34281 Gudensberg-Gleichen
Allemagne

Diffusion – Distribution SOFEDIS
11, rue Soufflot,
75005 Paris
Tél. 01.53.10.25.25, Fax 01.53.10.25.26